Le vieux sage dit à l'empereur :
«Ta pensée est limitée. Pourtant tout ce que tu es capable d'imaginer peut exister. Il n'y a rien qui soit impossible».

FUN - CHANG

UTILISE CE QUE TU ES

EDITIONS SOLEIL
GENEVE

Illustrations: Christian Kull
Quatrième édition
Copyright © Éditions Soleil
3, route de Sous-Moulin
CH-1225 Chêne-Bourg, Genève
ISBN: 2-88058-017-X

LES ÉDITIONS SOLEIL

Nous sommes de plus en plus nombreux à désirer nous rapprocher de la nature, donner une part plus grande à la créativité personnelle et vivre pleinement dans un monde en changement constant. Pour cela, il nous faut découvrir les principes de santé et d'harmonie nous permettant d'améliorer notre relation avec nous-mêmes, nos proches et le monde dont nous faisons partie.

Les méthodes de santé sont actuellement multiples et variées. Qu'elles soient issues des traditions anciennes ou des études scientifiques modernes, il est important de percevoir leur complémentarité pour faire ensuite librement ses choix et agir en se prenant en charge.

Tel a été le message de la FONDATION SOLEIL qui a œuvré pendant douze ans pour la pédagogie de la santé, avec le principe de *proposer sans imposer, informer sans prendre parti*.

S'inspirant de cette démarche, les ÉDITIONS SOLEIL présentent des chemins possibles, montrent des directions, en se situant au-delà des querelles d'école et en respectant les convictions et préférences de chacun. D'un livre à l'autre se multiplient les occasions de prise de conscience et de compréhension. Si les expériences proposées nous attirent, nous sommes invités à *vivre toujours plus au pays du bien-être* : favoriser notre santé et notre épanouissement, développer nos ressources personnelles et notre connaissance de nous-mêmes dans une approche globale tenant compte de toutes les dimensions de l'être humain : physique, émotionnelle, mentale et spirituelle.

Elaborés par un groupe de personnes de tous horizons réunies par leur intérêt pour la pédagogie de la santé, les livres signés ''Docteur Soleil'' présentent la synthèse des études menées sur un sujet donné. A la portée de tous, ils sont rédigés dans un langage simple et avec humour. Comme tous les livres des ÉDITIONS SOLEIL, ils ne sont pas destinés à nous intellectualiser davantage, mais à nous inciter à sortir du monde des limitations pour entrer dans une conscience de la vie plus large, plus drôle, plus libre, plus dense et plus palpitante.

Les ÉDITIONS SOLEIL publient également des cassettes dont la plupart complètent les livres.

Pour tout renseignement :
ÉDITIONS SOLEIL - 3, route de Sous-Moulin
CH-1225 Chêne-Bourg, Genève
Tél. (022) 49 24 70

INTRODUCTION

Ce récit nous vient des trésors de sagesse de la Chine ancienne ; il est attribué à Fun-Chang, auteur ayant vécu plusieurs siècles avant J. -C.

Sa densité poétique, la simplicité des enseignements qui y sont donnés, l'humour et l'universalité de son message nous ont donné envie de l'adapter en langue française et de le publier.

Comme tout conte, ce texte a pour but d'ouvrir l'intuition et la capacité d'imagination. Il est donc conseillé de le lire en s'arrêtant de temps à autre pour fermer les yeux et «voir» les images suggérées sur l'écran intérieur des paupières closes. . . ou encore de laisser son regard jouer avec les milliers de petits points des illustrations jusqu'à ce qu'ils s'animent et deviennent comme les étoiles d'un ciel de rêve. . .

Certains lecteurs se demanderont : les aventures de cet empereur sont-elles véridiques ? Lo-Yang a-t-elle existé ? Fut-elle détruite par un tremblement de terre ? Le vieux sage de ce récit, qui était-il vraiment ?...

Pour répondre à ces questions, laissons la parole à Bouddha qui a déclaré : «La vérité, c'est ce qui est utile».

Cette maxime remarquable montre qu'il n'y a pas une vérité absolue, valable pour tous et en tous temps, mais des concepts qui sont vrais dans la mesure où ils sont utiles pour un individu donné, à un moment précis de son existence.

Avec la sagesse universelle, à l'école de la tolérance et du respect des vérités individuelles, chacun découvrira, dans ce conte chinois, ce qui peut lui être utile, ce qui est vrai pour lui.

Puissiez-vous, amis lecteurs, comme l'empereur de ce conte, apprendre à mieux «utiliser ce que vous êtes» afin de créer, dans votre vie quotidienne, plus de liberté, de bonheur et de conscience !

Les Éditions Soleil

Dans la Chine ancienne vivait un empereur qui, chaque jour, observait ses sujets avec beaucoup d'attention. Par l'une des fenêtres du palais il pouvait regarder les palefreniers travailler avec les chevaux, les gardes s'exercer au maniement des armes, les jardiniers cultiver consciencieusement le jardin. Par une autre fenêtre il apercevait la place du marché de Lo-Yang, la capitale, et il s'intéressait aux relations des gens entre eux : les acheteurs, les vendeurs, ceux qui gagnaient, ceux qui perdaient. Et le soir il regardait le balayeur qui nettoyait la place lorsque tous étaient partis.

Chaque jour il observait et observait encore... mais plus il regardait, plus il entendait... moins il comprenait !

Deux jours par semaine étaient consacrés à l'exercice de la justice. Dans toute la Chine ceux qui n'acceptaient pas le jugement de leur gouverneur de province pouvaient faire appel. Ils étaient

alors entendus par la cour de justice présidée par l'empereur, et la parole impériale faisait loi. Ainsi lui étaient présentés des problèmes de succession, des disputes entre voisins, des réclamations de gens se considérant comme trop pauvres pour payer les impôts, d'invalides qui voulaient que le gouverne-

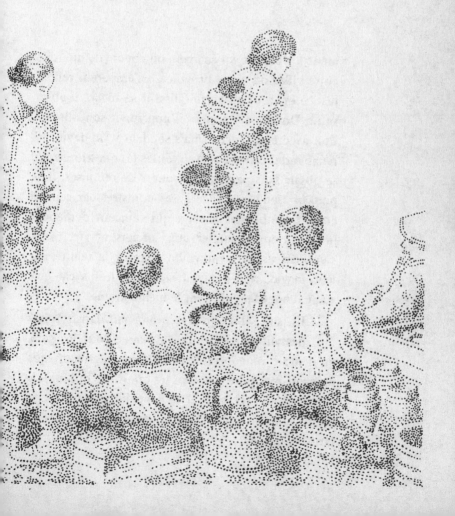

ment les prenne en charge... ou encore de querelles entre villes ou entre provinces. L'empereur rendait justice et, tout en accomplissant sa tâche, il observait... Durant des années il poursuivit son observation avec constance... mais soudain il lui devint intenable de rester seul avec toutes les questions qu'il se posait sans parvenir à trouver de réponses. Il ne pouvait rien demander à ses ministres car ceux-ci étaient semblables à ceux qui venaient demander justice, rien demander aux sorciers et aux magiciens car ils auraient voulu changer la réalité par leur magie, rien demander aux médecins car eux aussi étaient façonnés sur le même moule.

Un soir, alors qu'il se promenait dans son jardin, passant en revue par la pensée tous les gens qu'il avait rencontrés dans sa vie, cherchant qui pourrait répondre à toutes les questions qui lui faisaient éclater la tête, il se rappela ce vieux Sage qu'il avait rencontré dans sa jeunesse et qui savait tant de choses...

Cet homme était-il vraiment sage ou lui avait-il laissé cette impression parce qu'il était alors lui-même très jeune ? Ah, si seulement il était là, dans le jardin, pour répondre à toutes ces questions qui lui rongeaient le cœur... A peine cette pensée eût-elle traversé son esprit que le vieux Sage apparut près de lui et aussitôt l'empereur entreprit de l'assaillir de questions : pourquoi certains sont-ils nés harmonieux et d'autres difformes ?

Pourquoi certains sont-ils sages et d'autres igno-
rants ? Pourquoi certains sont-ils commerçants et
d'autres artistes, pourquoi certains ne veulent-ils
pas améliorer leur vie ? Pourquoi celui qui, chaque
soir, balaye la place du marché, refuse-t-il la place
de choix que je lui offre au palais ? Pourquoi certains sont-ils plus forts que d'autres ? Pourquoi
certains sont-ils riches et d'autres pauvres ? Pourquoi tout cela est-il ainsi ?... J'ai observé, dit
l'empereur, un garçon de quatorze ans, le fils d'un
de mes ministres, qui a perdu la vie en jouant avec
ses compagnons. Pourquoi ? Où sa vie est-elle
partie, pourquoi a-t-elle été si courte ? Certains
membres de la cour ont 90 ans et ne peuvent
presque plus se déplacer... Pourquoi leur vie est-elle
si longue ? Je peux dicter des lois, prononcer des
jugements, dit l'empereur, mais toutes ces questions dépassent mon entendement...

Le Sage lui répondit : -Regarde ton jardin !
L'empereur regarda autour de lui et dit : -Il est très
beau ! -Vois le chêne, dans la majesté de son grand
âge, le jujubier, si grâcieux, si jeune ! Regarde les
fleurs et les plantes ; certaines sont fortes, d'autres
faibles, certaines vivent de nombreuses années,
d'autres une seule saison ; certaines ont des feuilles
atrophiées ou des fleurs incomplètes et certains arbres ne peuvent se développer, privés de soleil par
les grands arbres qui sont autour d'eux. Pourquoi
ne m'interroges-tu pas à propos des arbres, des
plantes ou des fleurs ? Et qu'en est-il des animaux ?
Pourquoi le poulet n'a-t-il pas la force du buffle ?
Pourquoi le tigre n'a-t-il pas la gentillesse du chien?
Pourquoi l'aigle vole-t-il avec puissance dans les airs
alors que les moineaux semblent si faibles ? Ne
semble-t-il pas injuste que certains êtres vivants
soient aigles et d'autres moineaux, certains brins
d'herbe et d'autres chênes, certains granit et d'autres diamant ; ne trouves-tu pas tout cela fort injus-

te ? dit le Sage. -Mais il ne s'agit pas de gens ! répondit l'empereur, il ne s'agit pas d'individus doués de raison mais seulement de choses sur lesquelles nous marchons, que nous mangeons ou qui font partie de notre vie de diverses façons. -Ah, dit le Sage ; eh bien, là tu te trompes ! La vie qui coule dans le roseau est la même que celle qui coule dans le chêne... Celle qui est dans le balayeur est la même que celle qui est en toi. Ce qu'on appelle Dieu, le Souffle Divin, la Vie, l'Énergie ou la Puissance universelle, le «JE SUIS». L'empereur se gratta la tête : -Je suis encore plus dans la confusion qu'auparavant, dit-il... -Viens avec moi vers l'étang et assieds-toi sur cette pierre, dit le Sage.

De la main, le Sage agita la surface de l'eau et ce fut comme si des milliers de clochettes tintaient autour d'eux... Une image apparut sur l'étang. -Je vais t'emmener très loin en arrière dans le temps, dit le Sage, avant l'époque de ton père, avant celle du père de ton père et du père du père de ton père, pour te donner non une vision complète et globale mais une vue perspective, un coup d'œil sur ce qu'est l'homme, ce que sont les planètes, les minéraux, les plantes et les animaux.

Alors sur la surface de l'étang apparurent des images d'une civilisation incroyable : des objets volaient à travers les airs, des hommes se déplaçaient dans des véhicules qui n'étaient pas tirés par des chevaux, de gigantesques structures de métal voguaient à travers les mers. Hommes et femmes voyageaient très rapidement, leurs habits étaient tout à fait différents de tout ce que l'empereur avait connu. -Cette civilisation exista avant celle que tu connais maintenant, dit le Sage ; regardons un peu plus avant dans le temps. L'écran sembla s'élargir et l'empereur vit des centaines de milliers de gens répartis sur toute la planète ; il contempla des civilisations à côté desquelles la sienne faisait penser à la vie des hommes des cavernes... Puis il aperçut un groupe d'hommes et de femmes qui se rassemblaient ; ils parlaient les uns avec les autres, échangeaient des informations sur la nature de leur énergie personnelle, exprimant la beauté, la chaleur, la puissance et la conscience qui étaient les leurs. Bientôt ils attirèrent à eux d'autres gens désireux de découvrir en eux-mêmes une même compréhension d'eux-mêmes, une même liberté afin de pouvoir vivre dans le monde sans être du monde.

Une nuit ces hommes et ces femmes conduisirent les gens qui étaient avec eux en des lieux choi-
sis. Il y eut soudain des éclairs, des coups de ton-
nerre et la surface de la terre se métamorphosa en

quelques instants : des vagues de plusieurs kilomètres de haut balayèrent des contrées entières, des
tremblements de terre engloutirent des cités à des
kilomètres de profondeur, la terre ou l'eau recou-
vrirent de vastes civilisations ; d'immenses territoi-
res disparurent et de nouvelles terres apparurent.
L'empereur observait, fasciné. Il vit que ceux qui
survécurent étaient forts et courageux ; ils appre-
naient, grâce à ceux qui les guidaient, à voir et à
comprendre ce qu'ils étaient vraiment. Leur capacité de vivre en harmonie avec eux-mêmes et avec
les éléments de la nature était très développée. Arbres, plantes et fleurs avaient disparu... des graines
germaient... il leur faudrait des années pour croître.
Ainsi, en plusieurs parties du monde, de petits
groupes se développèrent. Peu à peu des enfants
naquirent. Bientôt ils commencèrent à poser des
questions : «D'où venons-nous, où allons-nous ?».
Quand leurs parents essayèrent de raconter ce
qu'eux-mêmes avaient connu, leurs enfants ne pu-

rent les croire. Comment auraient-ils pu, sans images, sans objets de l'époque précédente, comment leur expliquer, comment leur faire comprendre ? Certains jeunes partirent pour créer ailleurs de nouvelles sociétés. Bientôt les survivants de la civilisation précédente moururent. Les images, sur la surface de l'étang, se troublèrent puis s'évanouirent. Le Sage dit à l'empereur : -Ceux qui survivent doivent aller au-delà. -Je ne comprends pas, dit l'empereur. -Tu as vu ces hommes qui étaient sages parce qu'ils étaient guidés par l'intérieur ; ils conduisirent ceux qui survécurent pour recommencer un nouveau cycle. Ces sages sont, en quelque sorte, la nourriture, l'énergie, le fuel de chaque cycle. Pour que le cycle de la vie s'accomplisse, un apport d'énergie est nécessaire. L'homme naît incapable de se nourrir et meurt de la même façon. Tout ce qui vit, vit selon des cycles ; minéraux, plantes, fleurs, animaux, êtres humains vivent en suivant les cycles de la nature. La planète elle aussi suit un cycle. Ces hommes et ces femmes qui ont développé la conscience d'eux-mêmes et leur capacité d'unité avec tout ce qui vit, ont pour rôle, dans chaque ère cataclysmique, de maintenir la cohésion nécessaire, d'apporter les éléments indispensables à la poursuite du cycle global. Ils n'ont pas besoin d'être bons, ils n'ont pas besoin d'être mauvais ; ils sont énergie. Ils peuvent être pape ou empereur, gladiateur ou berger, fonctionnaires ou charretiers... ils transmettent de l'énergie. Ils aident le cycle à se faire, ils sont le pont qui conduit d'une époque à l'autre, le fil qui forme la trame de l'histoire humaine.

Comprends, empereur, que ton balayeur de rue est comme une graine, une jeune énergie ; peut-être, dans une autre époque, sera-t-il un être différent, un arbre aux branches puissantes, mais, pour l'instant, tu ne peux pas le vouloir autrement qu'il n'est. Une partie importante de la sagesse et de la connaissance consiste à ne plus vouloir transformer les gens en ce qu'ils ne sont pas, mais à accepter ce qu'ils sont, à comprendre leur expérience de vie. Arraches-tu de ton jardin toutes les plantes qui ne sont pas des chênes ? Non, tu cherches l'harmonie entre l'herbe, les fleurs, les buissons et les arbres. Tu nourris tes roses ; leur dis-tu : «Je

veux vous nourrir pour que vous viviez aussi longtemps que le chêne» ? Les roses ne veulent pas être
des chênes, elles veulent être des roses ! Pourquoi
vouloir que les hommes soient autre chose que ce
qu'ils sont ? Ceci est la leçon la plus difficile à apprendre pour les êtres humains, dit le Sage, mais tu
peux commencer par accepter l'évolution des rè-
gnes minéral, végétal et animal. Tu peux déjà ad-
mettre qu'un tigre soit plus fort qu'un rat, qu'une
vache donne plus de lait qu'un poulet. Ne peux-tu
comprendre que le balayeur de rue aime être balayeur de rue ? Ne peux-tu accepter que ceux qui
ont faim font partie du jardin de ton empire ? Tu
peux les nourrir, mais cela ne tient pas compte de
l'ensemble de la situation. Tu devrais savoir, empereur, que tu n'as pas à nourrir ton peuple ; tu peux
agir pour que la nourriture soit accessible à tous les
habitants mais c'est à eux d'apprendre à se nourrir
eux-mêmes. Toute civilisation qui commence à
nourrir les gens en pensant qu'ils sont incapables de

prendre soin d'eux-mêmes court à l'échec. Tout
homme qui ne peut prendre soin de lui-même commence à mourir. Tout animal qui ne peut se prendre en charge devient la proie d'un autre animal.
Toute plante qui n'a pas la force d'atteindre le soleil et l'eau retourne à la terre dont elle est issue.

-Viens avec moi ; entre dans l'image qui se
crée devant tes yeux et regarde cette forêt. C'était
une magnifique forêt, avec de grands arbres, des
fleurs merveilleuses, des animaux se promenant ça
et là. Cette partie de la forêt n'a pas été touchée
par l'homme, dit le Sage. La vie est partout. Regarde l'herbe, les fleurs, les arbres, les oiseaux, les insectes, les animaux... Ils vivent leur cycle, ils ap-
prennent, ils évoluent. -Mais, dit l'empereur, l'homme est plus avancé, plus intelligent ! -Qui dit cela ?
répondit le Sage. Comment sais-tu si l'homme est
plus haut ou plus bas que le règne minéral ? Le règne minéral ne se plaint pas, il ne cherche pas à
prendre ce qui est aux autres, il ne tue pas d'autres

individus ; il fait toute chose avec simplicité, en accord avec la nature qui l'entoure. Es-tu si sûr que l'homme soit plus élevé sur le plan terrestre... et que tu ne vas pas évoluer en rocher ? L'empereur répondit : -Ceci me semble impensable. -Ta pensée est limitée. Pourtant tout ce que tu peux imaginer peut exister. Il n'y a rien qui soit impossible. L'empereur demanda : -En quoi tout cela m'aide-t-il en tant qu'empereur ? Il vient d'y avoir de grandes inondations dans le Sud et beaucoup de gens ont perdu leur maison, des milliers sont morts noyés ; les survivants me réclament des vivres. -T'es-tu déjà demandé, empereur, pourquoi ces gens vivent si près de l'océan, ou au bord des fleuves ou sur les terres basses que l'eau peut inonder, pourquoi ils construisent leur maison sur des falaises, en des endroits qui peuvent s'écrouler, pourquoi ils n'essaient pas de s'intégrer à la nature au lieu de la mettre au défi ? La nature, les forces naturelles sont comme cent millions de cavaliers munis d'é-

pées acérées ; il n'y a pas moyen de leur résister. Les gens éduqués savent où vivre, où construire leur maison, comment se protéger. S'ils sont pêcheurs, apprends-leur à utiliser les vents et les marées, enseigne-leur comment vivre avec la nature, explique-leur que s'ils luttent contre elle alors ils doivent en accepter les conséquences. Tu ne peux avoir de regrets pour la personne qui a perdu sa maison dans un tremblement de terre, une tempête ou une inondation. En vivant là où elle vivait, elle a choisi ce risque. Tu ne peux pas obliger les gens à changer leur vie. Quand il y a trop de mauvaises herbes et pas assez de chênes, quand il y a plus de moineaux que d'aigles, plus de rats que de tigres, plus de granit que de diamant, il se crée un déséquilibre qui entraîne un renouvellement de la situation par le jeu des forces naturelles. Rien ne meurt. Certaines formes de vie disparaissent et sont remplacées par d'autres, mais l'esprit vivant qui est en chacune d'elles ne meurt jamais. Les funérailles

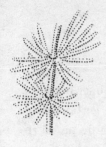

sont faites pour les vivants et non pour les morts.
Elles sont faites pour que les gens puissent avoir du
plaisir à exprimer leur chagrin, mais le mort n'en a
pas besoin puisqu'il n'est pas mort mais poursuit sa
vie dans d'autres conditions. La forêt ne fait pas de
funérailles, les animaux non plus, ni les oiseaux, ni
les insectes, ni les fleurs.

 -J'ai été un mauvais empereur, dit l'empereur.
-Non ! dit le Sage, tu n'as pas été un mauvais empereur ! Tu as utilisé l'instrument que tu avais. Tu as
utilisé pleinement tes forces dans les limites de ta
compréhension. Tu as été capable de percevoir. A
travers tout ce que tu as été, l'énergie qui est en toi
s'est manifestée.

 Le vieux Sage aurait voulu que l'empereur
puisse voir et comprendre davantage... Mais il savait
que la compréhension ne s'éveille que lentement.
L'empereur dit : -Qu'en est-il des lois du pays, dois-
je tout éliminer et recommencer à neuf ? -Non, dit
le Sage, gouverne les gens de ton empire comme un

jardinier gouverne son jardin. Le jardinier permet à ses plantes de croître sans essayer de les faire devenir ce qu'elles ne sont pas. Il ne regarde pas le rocher sur lequel tu es assis pour lui dire : «Je n'aime pas ce que tu es, je n'aime pas la couleur que tu as, tu dois devenir rocher de jade !». A l'oiseau qui est dans l'arbre, le jardinier ne dit pas : «Tu devrais être un aigle, je vais te transformer en aigle !». Tu ne peux ni transformer le moineau en aigle, ni le balayeur de rue en empereur, ni faire le bonheur

des gens en général. Les individus sont des vibrations, ils sont une énergie qui choisit un corps, ils vivent dans cet instrument et l'utilisent. Toi, dans ta salle à manger, tu utilises des couverts pour manger, mais ton garçon d'écurie utilise ses mains. S'il vient dans ta salle à manger il remplira son estomac comme toi mais il aura besoin d'un bain après avoir mangé, alors que toi tu resteras propre. Il en est de même pour l'énergie : elle entre dans un corps et ce corps peut ressembler à n'importe quel autre corps. Regarde les ministres qui sont autour de toi : tous ont deux bras, deux jambes et deux yeux - à quelques exceptions près ; ils ont à peu près tous le même corps mais ils sont pourtant tous différents. Pourquoi l'un est-il un grand intellectuel et pas l'autre, pourquoi ton magicien peut-il déplacer des objets par la force de sa pensée ? Chaque personne est une énergie. L'énergie qui est en chacun sait comment utiliser tout ce qui est là et elle le fait à travers les expériences que l'individu vit à chacune des étapes de sa vie. -Veux-tu dire que j'ai déjà vécu auparavant ? -D'une certaine façon, dit le Sage ; c'est une façon d'aborder la question ; ce qu'il faut

surtout comprendre c'est que ton énergie sera capable, la prochaine fois, d'absorber quelque chose de différent. -Mais comment, interrogea l'empereur, le mauvais peut-il être une énergie utile ? -Ce que tu

appelles mauvais est une énergie. Tu peux tuer des milliers de gens, même des millions, sans que cela soit «mauvais» ! -Comment donc ? -Pourquoi serait-ce mauvais ? Pourquoi serait-ce mal ? Tu tues bien des milliers de mouches, tu tues des milliers d'animaux et de plantes pour manger. Quelle est la différence entre leur énergie et celle d'un homme ? -Mais l'homme est comme moi ! -Ne crois-tu pas qu'une tomate pourrait dire la même chose d'une autre tomate ? Le fait de comprendre cela est important. Il ne s'agit pas de prêcher ni d'essayer de répandre cette sagesse dans le monde ; il s'agit d'observer ces choses et qu'elles deviennent une partie de ton être. De cette façon tu pourras vivre dans le monde sans peur, sans frustration, sans colère et sans jugement parce que tu auras appris à observer. Cette capacité d'être témoin sans t'identifier à chaque situation te donne une puissance incommensurable. Vois ce chêne immense qui domine le jardin ; les oiseaux nichent dans ses branches.

Regarde l'aigle qui observe tout ce qui se passe au-dessous de lui. Rappelle-toi que les gens doivent faire l'expérience de ce qu'ils vivent. Si tu as des regrets ou de la pitié pour les autres, tu t'identifies à eux, tu deviens une partie de ce qu'ils sont et alors tu ne permets plus à ton énergie de se développer au maximum. -Qu'est-ce que l'énergie ? demanda l'empereur. -Ah... de cela je te parlerai plus tard ; d'abord il faut que tu aies la base nécessaire, que tu puisses percevoir ce que tu es.

-Tu m'as montré les changements du monde ; verrai-je un jour de tels évènements ? De quoi cela aura-t-il l'air ? -Cela sera la même chose que la dernière fois. -Y aura-t-il un groupe de sages qui sauront ce qui va se passer ? -Oui. -Prépareront-ils d'autres individus ? -Oui. -Ferai-je partie de ce groupe ? -Peut-être que oui, peut-être que non ! -Cela veut dire que sans une certaine sagesse je pourrais périr ? -Non pas périr, mais te renouveler. Si, à ce moment-là tu est un chêne... et si la partie

inférieure de ton tronc est en mauvais état, tu éprouveras peut-être le besoin de te renouveler. Ou si tu es un vieil aigle qui ne peut plus voler, ou un diamant parcouru de craquelures ayant perdu sa force... mais ce diamant a été diamant comme l'aigle a été aigle et le chêne, chêne... Chacun est prêt pour de nouvelles expériences. Comprends que tu apprends à utiliser ta puissance et que pour l'utiliser au maximum il s'agit de ne pas laisser l'énergie d'autres personnes contrôler la tienne. Tu peux percevoir les autres, tu peux apprendre d'eux mais sache garder une attitude d'observation. -Que penser de tout ce que tu m'expliques, dit l'empereur. Comment savoir si tu n'essaies pas de m'induire en erreur, de te moquer de moi, de me tromper ? -Quel avantage aurais-je à cela ? Je n'ai rien à gagner, dit le Sage. Je ne vais pas devenir empereur, tu ne me donneras pas de grandes richesses. Que pourrais-je gagner à cela... des prunes peut-être ? Ne parle à personne de ce que tu viens d'entendre

mais garde-le pour toi. Comprends que les inspira-
tions, les vues intérieures, les intuitions que tu
peux avoir sont tes diamants, tes joyaux. Qu'elles
deviennent ta force, ton accomplissement et ta plé-
nitude. Quand tu es assis parmi ta cour et que
beaucoup de gens viennent vers toi, observe-les.
S'ils viennent de la région qui a subi des inondations, éduque-les, s'ils viennent réclamer de l'argent,
apprends-leur à travailler. Ne fais pas à leur place
ce qu'ils ont à faire. Et ainsi je pourrai te montrer
la lumière, l'énergie, les ressources de ton être que
tu ignores encore. -Mais je veux les connaître ! dit
l'empereur. -Je pourrais te les énumérer de diverses
façons... dit le Sage. Mais peut-on mettre un trou-
peau d'éléphants dans une petite pièce ? Comprends que je te donne tout ce que tu peux actuellement absorber... Mais il est nécessaire que l'ensei-
gnement soit progressif ; au fur et à mesure que tu
croîtras, que tu permettras à ton corps, à ton cœur
et à ton cerveau de mieux fonctionner, je pourrai

t'apporter davantage ; plus tu recevras, plus tu comprendras ceux qui sont autour de toi et de la nature qui t'entoure. Restes-tu sous un arbre qui va tomber ? -C'est ridicule, bien sûr que non ! dit l'empereur. -Et si tu ne sais pas que l'arbre va tomber ? -Oh, dit l'empereur, tu veux dire que je pourrais savoir que l'arbre va tomber... ? -Tu peux faire partie de toute chose, dit le Sage. Quand une vieille femme infirme vient vers toi, ne la mets pas dans

une maison pour personnes âgées. Aide-la à apprendre à utiliser ce qu'elle est. Si ses jambes bougent à peine, qu'elle ne peut remuer les bras et que tu lui dis : «Vieille femme, tu as eu une longue vie, tu as besoin que l'on prenne soin de toi, je vais te mettre dans une maison au soleil, dans le sud du pays», elle sera heureuse... mais alors cent vieilles femmes accourront vers toi ! Par contre, si tu lui dis : «Demain tu vas prendre un bain froid, commencer à courir et à faire travailler ton corps !» elle pourra, si elle le fait, s'améliorer... Et tu ne verras pas accourir vers toi une foule de vieilles femmes cherchant à devenir dépendantes ! Tu apprends à aider les gens à s'aider eux-mêmes. Tu leur donnes les instruments nécessaires et tu sais qu'ils ont, en eux-mêmes, la capacité de les utiliser. -Apprends-moi à utiliser tes instruments à toi ! dit l'empereur. -Comment puis-je t'enseigner à manier des instruments qu'il faut sept mains pour empoigner ? -Mais alors comment fais-tu toi pour les utiliser ? dit l'empereur. -C'est facile, dit le Sage... et soudain voilà qu'il avait sept mains ! -Oh, dit l'empereur, je ne puis pas faire cela. -Pourtant tu le pourrais... tout ce que tu peux concevoir est réalisable, dit le Sage.

L'empereur réfléchissait en regardant l'étang. Tout ceci était si nouveau, tout ceci était si important. Il savait que cette compréhension allait changer sa vie, qu'il ne changerait pas la vie des autres mais qu'il pourrait les aider à la changer eux-mêmes. Il se tourna vers le vieux Sage et lui dit : -J'ai remarqué, en observant la place du marché, qu'il y a beaucoup de trafic à un certain endroit ; quand les gens s'en vont le soir certains tombent et se blessent. Il faut que j'envoie un garde pour régler la circulation. -Tu veux les protéger, dit le Sage, pourquoi donc veux-tu les protéger ? -Parce qu'il faut qu'ils puissent rentrer chez eux sans accident. -Cela revient à dire qu'ils sont un groupe d'i-diots ! Qu'ils ne sont pas capables de faire les cho-

ses par eux-mêmes. Combien de lois as-tu faites
parce que tu pensais que tes sujets sont incapables
de se protéger eux-mêmes ? -Mais sans lois ce serait
le chaos, dit l'empereur. -C'est vrai, plus il y a de
gens, plus il y a de lois. Pourtant tu dois apprendre,
pour toi même, comment vivre et fonctionner sans
lois. Tu dois apprendre à vivre dans un monde régi
par une seule grande Loi. Où que tu regardes, dans
la nature, c'est la même Loi qui s'applique. -Ap-
prends-la moi, dit l'empereur. -D'abord, dit le Sage,
je peux t'enseigner comment vivre au-dessus et au-
delà des lois mais il faudra pourtant que tu conti-
nues à en faire pour ceux qui, autour de toi, ne
sont pas encore prêts à s'en passer. Peux-tu vivre
avec cette idée ? L'empereur réfléchit un moment
et dit : -Je ne sais pas. -C'est pourtant simple, lui
dit le Sage : l'aigle qui est dans le ciel ne sait pas
nager sous l'eau, le poisson ne vole pas dans les airs,
le papillon ne cueille pas de jujubes. Tous utilisent
leur énergie. Comprends que tu peux en même

temps dicter des lois et être toi-même au-delà de celles-ci. Tu dois établir des lois parce que les gens n'ont pas d'intuition, qu'ils ne savent pas vivre naturellement. Les plantes, les roseaux, les rochers, les animaux savent vivre. Ils sentent quand un tremblement de terre va venir, quand une tempête se prépare et agissent en conséquence. Une plante qui vit près de l'océan s'assure que ses racines poussent profondément pour ne pas être déracinée par le vent. L'homme qui sait écouter son intuition n'a plus besoin de lois. -Mais tout le monde ne peut avoir de l'intuition... -De cela nous parlerons demain, dit le Sage. -Un moment, dit l'empereur ; tu m'as parlé de ces hommes et de ces femmes sages et forts qui sont comme le fil formant la trame du monde. Tu m'as dit que si j'exprimais l'énergie qui est en moi, je pourrai peut-être vivre dans un corps encore plus fort et percevoir d'autres choses. Comment saurai-je quand j'aurai tout expérimenté et que je n'aurai plus à faire l'expérience d'être dans un corps ? -Crois-moi, dit le Sage, tu le sauras. Mais aussi longtemps que tu me poses cette question... cela signifie que ce moment n'est pas encore venu !

L'empereur rentra dans sa chambre à coucher. Il avait passé toute la journée dans le jardin avec le vieux Sage et avait l'impression d'y être resté pendant des semaines... Il avait vu, écouté et absorbé autant qu'il avait pu. Il se coucha sur son lit, se recouvrit de sa couverture et s'endormit. Des rêves l'envahirent ; il se vit en train de se promener dans une forêt, parmi les arbres, les oiseaux, les insectes, puis il sentit la forêt trembler comme si un géant marchait tout près ; les animaux se mirent à courir çà et là, les oiseaux furent projetés dans les airs, la forêt trembla davantage ; il eut peur ; la forêt fut secouée de plus en plus fort et l'empereur se réveilla. Son palais tremblait... Les portes étaient tombées, les murs commençaient à se fissurer et à s'écrouler. Il entendit des cris venant de la cité de Lo-

Yang. Il voulut se mettre debout mais les ondes sismiques qui secouaient le palais le clouèrent au sol et il ne put se déplacer qu'à quatre pattes.

Pas un seul serviteur n'était en vue, sauf un qu'il aperçut écrasé sous une statue. Il avança jusqu'au hall et vit des gens qui couraient en tous sens, se bousculant et trébuchant les uns sur les autres. La panique était à son comble, le palais tout entier vacillait et les murs s'effondraient avec fracas. L'empereur rampa jusqu'à sa chambre, se prosterna devant l'autel de ses ancêtres et attendit. Bientôt le grondement et le tremblement s'arrêtèrent... Un silence de mort s'installa. L'air était chargé de poussière. Puis le grondement recommença et l'empereur entendit des cris et des hurlements. Cette fois le bruit était plus sourd et tout le palais semblait se déplacer comme s'il avait des jambes. Puis l'empereur entendit le mot «feu» crié dans les rues de Lo-Yang, suivi du crépitement des maisons en flammes ; le grondement continuait. Les murs et les pla-

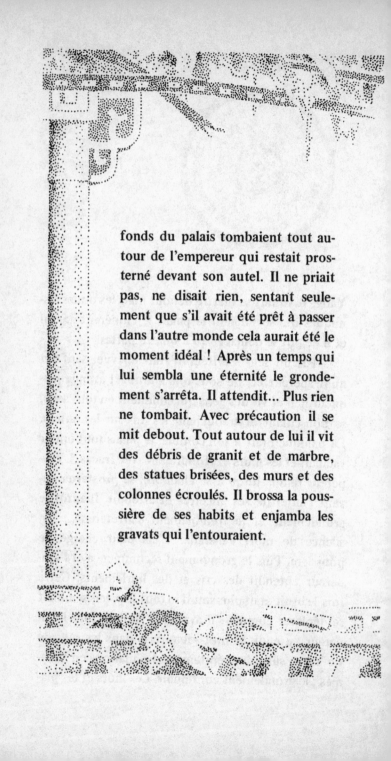

fonds du palais tombaient tout autour de l'empereur qui restait prosterné devant son autel. Il ne priait pas, ne disait rien, sentant seulement que s'il avait été prêt à passer dans l'autre monde cela aurait été le moment idéal ! Après un temps qui lui sembla une éternité le grondement s'arrêta. Il attendit... Plus rien ne tombait. Avec précaution il se mit debout. Tout autour de lui il vit des débris de granit et de marbre, des statues brisées, des murs et des colonnes écroulés. Il brossa la poussière de ses habits et enjamba les gravats qui l'entouraient.

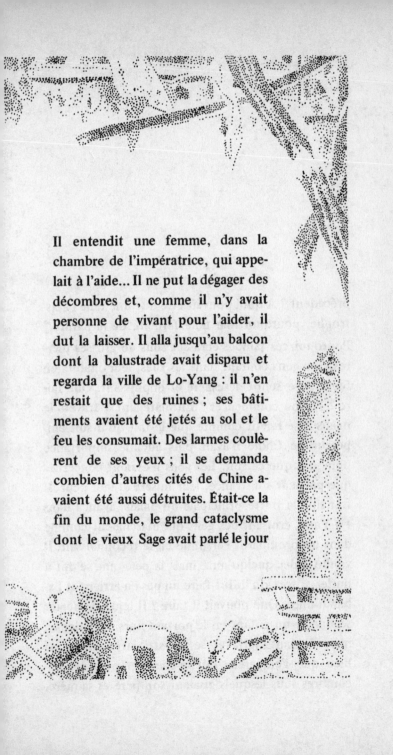

Il entendit une femme, dans la chambre de l'impératrice, qui appelait à l'aide... Il ne put la dégager des décombres et, comme il n'y avait personne de vivant pour l'aider, il dut la laisser. Il alla jusqu'au balcon dont la balustrade avait disparu et regarda la ville de Lo-Yang : il n'en restait que des ruines ; ses bâtiments avaient été jetés au sol et le feu les consumait. Des larmes coulèrent de ses yeux ; il se demanda combien d'autres cités de Chine avaient été aussi détruites. Était-ce la fin du monde, le grand cataclysme dont le vieux Sage avait parlé le jour précédent ? A quoi pouvait être due une telle catastrophe, pourquoi une telle férocité de la nature ? Pourquoi ces jambes écrasées sous de grosses pierres, ces gens courant dans les rues, leurs habits en feu ? Il se sentit désespéré et impuissant. Que faire ? Par où commencer ? En marchant à travers le palais il se rendit compte que le fait qu'il soit empereur de Chine n'avait plus aucune importance pour qui que ce soit. Les gens n'étaient concernés que par leur souffrance, leur misère et leur peur. Il franchit la porte principale du palais, avança dans Lo-Yang, croisant des gens qui marchaient comme dans un brouillard. Personne ne le reconnaissait. Il voulut aider quelqu'un... mais la personne se mit à hurler si fort qu'il dut faire un pas en arrière et l'abandonner. Que pouvait-il faire ? Il tenta de porter secours à un enfant en le portant hors des ruines... mais l'enfant hurla et se débattit avec fureur, si bien que l'empereur dut le ramener près des décombres sous lesquels gisaient son père et sa mère.

Des soldats pillaient çà et là ; lorsque l'empereur leur cria d'arrêter, ils dégainèrent leurs sabres car ils ne le reconnaissaient pas, en raison de la poussière qui recouvrait ses habits... et il dut s'enfuir.

D'un sursaut la terre avait englouti la capitale, fait perdre tout pouvoir à l'empereur, créé une folie de peur et de désespoir. En enjambant les corps et les pierres, en traversant les ruines qui brûlaient encore, l'empereur regagna son palais. Il franchit les murs écroulés et se rendit dans son jardin ; celui-ci était miraculeusement intact : pas une fleur, pas une goutte d'eau ne manquait, comme si la main géante qui avait dévasté tout alentour avait préservé ce lieu. Il but l'eau du ruisseau, s'assit sur le sol et pleura à chaudes larmes. Comme il se sentait inutile... plus d'armée, plus de ministre, sa femme l'impératrice écrasée dans le palais, ses enfants disparus, Lo-Yang dévastée ! De quoi était-il empereur maintenant ? Et qu'était-il advenu du reste de la Chine ? Il n'avait plus de pouvoir. L'armée était devenue insensée, pillant et volant ; comment savoir si les provinces du sud lui étaient restées fidèles, comment faire savoir à tous qu'il était vivant ? Il pleura plus amèrement qu'il n'avait jamais pleuré.

Soudain il tressaillit car une main s'était posée sur son épaule. Le vieux Sage se tenait là, debout, et l'empereur, soudain en proie à une intense colère, se mit à crier : -Regarde, il n'y a plus de palais, plus de ville, ma femme et mes enfants sont morts. La puissance de ma nation a été dévastée par un tremblement de terre. Ta précieuse nature a tout détruit. Il n'y a plus rien, je suis sans valeur ! Le Sage le regarda dans les yeux. L'empereur criait et gesticulait, il voulut presque bousculer et frapper le Sage, mais une puissance empêchait son bras de se lever... dans un grand tremblement, il s'évanouit. Le Sage s'assit à côté de lui, attendit qu'il ait retrouvé ses esprits et lui dit : -Que vas-tu faire ? L'empereur, désespéré, haussa les épaules et dit : -Je ne sais pas. -Que veux-tu dire par «Je ne sais pas» ? Ton corps est vivant, tu as du travail à faire, tu as un rôle à jouer ! L'empereur cria : -Je n'ai plus rien, tout mon argent est enfoui profondément sous le palais, je ne peux pas payer les soldats, ils pillent la cité. Je ne sais pas de quoi le reste de la Chine a l'air. Que puis-je faire ? Le vieux Sage se redressa et lui dit : -Lève-toi. L'empereur se leva. -Regarde cet aigle dans le ciel ! L'empereur leva les yeux : -Quel aigle ? Et le Sage le poussa dans l'eau de la rivière. L'eau était froide ; l'empereur fut choqué ; il regarda le vieux Sage et se mit à rire : -Il n'y a que toi pour me traiter comme cela ! Toi seul me permet de me sentir un être humain ! Aide-moi ! -Que veux-tu savoir ? dit le Sage. -Aide-moi ! à reconstruire ce palais, cette cité.

-Je ne peux pas t'aider, répondit le Sage. -Que veux-tu dire par là ? -Je suis un Sage, je peux voir le passé et le futur, je peux comprendre ce qui se passe mais je ne peux pas t'aider. L'empereur lui dit : -Je ne te comprends pas. Le Sage continua :

-Un voyant peut seulement voir ; il peut aider les autres à utiliser les instruments qu'ils ont, mais il ne peut ni les obliger ni faire le travail à leur place.
-Pourquoi suis-je ici ? dit l'empereur, pourquoi suis-je venu sur cette terre, quelle est l'utilité de tout cela ? Je viens, je meurs, je reviens, je meurs... c'est insensé ! Regarde toute cette dévastation !

Le Sage dit : -Ne cherche donc pas à savoir pourquoi tu es ici ; cela n'a aucune espèce d'importance.

L'empereur cria : -J'ai besoin de savoir pourquoi je suis ici, sinon je ne peux rien reconstruire, je ne peux rien commencer de nouveau ! -C'est ridicule, dit le Sage. Un petit enfant demande-t-il pourquoi il est là avant d'apprendre à marcher ? Un nourrisson demande-t-il pourquoi il est né avant de commencer à manger ? Demande-t-il d'où il vient avant d'apprendre à parler ? Ne sois pas stupide ! Tu n'as pas besoin de savoir d'où tu viens. Beaucoup de gens utilisent ce genre de jeux mentaux pour éviter de se regarder en face, pour ne pas se servir

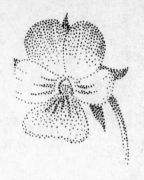

des instruments qu'ils ont à leur disposition. Ils fuient la réalité présente en disant «Si je pouvais savoir d'où je viens, alors je pourrais» ; mais ceci n'a aucun sens. Ce genre d'idées n'a pas plus de valeur que Lo-Yang aujourd'hui, c'est une fuite ! L'empereur était vexé. Il demanda : -Sais-tu d'où je viens, pourquoi je suis ici ? -Oui, dit le Sage, mais si je te donne une compréhension intellectuelle de ta situation, cela ne t'aidera pas à reconstruire Lo-Yang. L'empereur répondit : -Qu'ai-je donc besoin de savoir ? -Tu as besoin de savoir que la situation dans laquelle tu te trouves est la situation qu'il te faut vivre ; tu ne peux rester ici indéfiniment à te contempler le nombril en répétant «pourquoi cela m'est-il arrivé, pourquoi suis-je venu ici, d'où suis-je venu, pourquoi ma famille est-elle disparue, pourquoi suis-je empereur de Chine». Ces questions n'ont aucun sens. Tu es là, c'est tout ! Tu es empereur de Chine. Que vas-tu faire de cela ? Rester ici à pleurnicher et renifler ? Cela ne t'avance à rien.

Tu es là parce que tu es là et tu as à utiliser la situation le mieux possible. Arrête de te donner des excuses !

L'empereur se sentait blessé et mortifié. Le vieux Sage perçut sa peur, sa colère et sa frustration et lui dit : -La plupart des gens sont comme de petits enfants, ils ne se demandent pas d'où ils viennent ni où ils vont ; ils ne se soucient que de marcher, de manger, de faire des expériences. Certains individus arrivent au seuil de la pensée et commencent à se poser des questions. Certains trouvent la religion, d'autres des maîtres qui leur donnent des réponses et enfin il y a ceux qui, comme toi, veulent en savoir plus, connaître tous les détails. Je pourrais te donner mille explications, t'éblouir tellement que tu ne pourrais plus supporter ta propre lumière. Mais quel bien cela te ferait-il, que pourrais-tu en faire ? Donnes-tu à manger à ton fils une tonne de riz à la fois ? -Non, dit l'empereur. -Ton fils mangera bien une tonne de riz dans sa vie...

Pourquoi ne pas la lui donner d'un seul coup, afin qu'il n'ait plus besoin de manger ? -Mais cela le tuerait ! -Ah, dit le Sage, tu as compris ! Il s'agit pour toi de ne plus te poser de questions inutiles mais d'utiliser la situation dans laquelle tu es. De ne pas te dire «si seulement j'avais tourné à droite au lieu de tourner à gauche cela ne serait pas arrivé ; si seulement j'avais envoyé mes enfants au palais d'été ils seraient encore vivants». Ces questions ne te mènent à rien. Tu es là où tu es maintenant, c'est donc là que tu dois être. Tu ne peux vivre ni dans le passé ni dans le futur, mais seulement dans le présent. Quelle que soit ta situation, utilise les instruments qui sont à ta disposition, utilise tes mains, ton intelligence et ta force. -Mais je n'ai aucun instrument, dit l'empereur, je ne peux même pas construire une maison. Le vieux Sage secoua la tête : -La crainte et l'épouvante ont accru ton ignorance. Tes instruments sont tout ce que tu utilises pour qu'un travail soit fait ; cela peut-être un mot

ou un sourire. Tes instruments sont ta capacité de
comprendre que là où tu es, en ce moment, c'est là
que tu dois être et non pas à un autre endroit ou
dans une autre situation. Utilise chaque moment.
-Que se serait-il passé si j'avais été tué ? dit l'empereur. -Quelle sotte question, dit le Sage ; dans ce
cas je ne serais pas en train de te parler et tu n'aurais pas de problèmes ! Quelqu'un d'autre viendrait,
prendrait la Chine en main et tu serais avec tes ancêtres.

L'empereur marcha à travers le jardin, les
mains dans le dos, regardant pensivement le sol. Il
se tourna vers le Sage et dit : peu importe pourquoi
je suis ici ; j'ai un travail à faire. -C'est bien, dit le
Sage. -Peu importe où je vais, je fais un pas après
l'autre. -C'est bien ! L'empereur avança lentement
un peu plus loin. -Comment puis-je agir, quels instruments puis-je utiliser ? Le Sage lui dit : -Tu as
parcouru pendant ces dernières minutes une dis-
tance de neuf mètres. Dans ces neuf mètres tu as

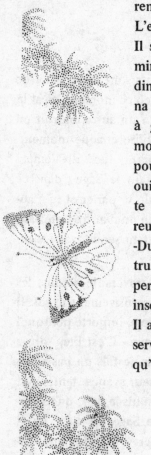

rencontré beaucoup d'instruments
L'empereur le regarda : -Vraiment
Il se retourna, regarda le petit che
min qui serpentait à travers le jar
din. -Des instruments ?... Il se tour
na encore et commença à regarde
à gauche et à droite. -Montre-le
moi ! -Il y a des fruits sur les arbre
pour te nourrir, dit le Sage. -A
oui ! dit l'empereur. -De l'eau pou
te rafraîchir. -Oh oui ! dit l'empe
reur ; il regarda encore puis dit
-Du bois et des pierres pour cons
truire. -C'est bien, dit le Sage. L'em
pereur apercevait des oiseaux, de
insectes, la vie qui bruissait partout
Il allait de ci, de là, tout excité, ob
servant ces choses de tous les jour
qu'il découvrait pouvoir employer

-Tu commences à comprendre, dit le Sage. Utilise ce qui est là. La plupart des gens ne voient jamais cela. Ils passent à travers la vie en cherchant toujours quelque chose d'autre, ils traversent l'existence persuadés que leur objectif est fort lointain alors qu'autour d'eux se trouve tout ce dont ils ont besoin pour atteindre leur but. -Un instant, dit l'empereur, je ne comprends pas. -C'est simple, dit le Sage, si tu veux construire un mur, de quoi as-tu besoin ? -De pierres, dit l'empereur. -Bien, où sont-elles ? -Elles sont là, tout autour de moi. Bien, commence à construire ! -Mais, pour déplacer ces pierres il me faut un instrument ! -Tu viens de passer à

côté de quelque chose le long du chemin, dit le Sage. L'empereur revint sur ses pas et trouva un bâton qui pouvait l'aider à soulever les rochers. -En plus des rochers j'aurai besoin de sable, d'eau et d'argile pour faire du ciment. -Bien, dit le Sage, tous ces éléments sont à ta disposition ; près du petit ruisseau il y a de l'argile et du sable. L'empereur s'y rendit et rapporta tout ce dont il avait besoin. -Maintenant, dit le Sage, tu as tous les instruments nécessaires pour faire un mur. L'empereur s'exclama : -Tu veux dire, que si l'on regarde autour de soi et que l'on utilise ce qui est là d'une façon complète, alors il n'y a qu'à rassembler les éléments nécessaires ; il n'y a pas besoin de courir partout pour les trouver car tout est déjà là ? -Oui, dit le Sage. Chaque homme et chaque femme a la capacité de voir, de percevoir et de se mettre en unité avec la vie tout entière s'il est conscient de tout ce qui est autour de lui, des herbes, des fleurs, des rochers. Cela ne s'apprend pas en s'enfermant

dans un laboratoire ou un monastère ni en se limitant à une seule voie, en ne voyant la réalité qu'à travers une seule technique ou une seule façon de voir. Ton chemin est un chemin destiné à aider les autres à voir par eux-mêmes, à les inspirer pour reconstruire.

L'empereur se sentit plein d'enthousiasme.
-Utilise les instruments qui sont autour de toi, dit
le Sage, utilise l'énergie de ceux qui travaillent avec
toi. Dans le passé, combien de gens as-tu mal utilisé ? Combien en as-tu laissé se détériorer par non-
utilisation ? L'empereur pensa : -J'avais un messa-
ger ; quand je suis devenu empereur il était en plei-
ne forme et pouvait, par sa course rapide, délivrer
un message d'une ville à l'autre. Il devint un ami et
lorsque, il n'y a pas si longtemps, j'eus un message
à lui faire porter... voilà qu'il n'était plus du tout
alerte, il ne pouvait plus courir aussi vite ; j'avais re-
noncé à l'utiliser !

L'empereur s'approcha d'un trou du mur, regarda Lo-Yang détruite, et des larmes coulèrent de
ses yeux. -Un instant ! dit le Sage, pourquoi pleures-
tu ? -A cause de tous ces gens, à cause de cette
beauté qui était là. -Oublie tout cela ! dit le Sage.
Cette beauté, les gens s'en nourrissaient et en vi-
vaient. Elle a donc été bien utilisée. Maintenant uti-

lise ce qui est et arrête de regarder en arrière ; rien n'a jamais été ni ne sera meilleur que l'instant présent ; dans le futur chaque instant sera toujours maintenant, car tu ne peux vivre que dans le présent... -Oh, dit l'empereur... et il lui sembla qu'en une seconde il avait soudain gagné quarante années de compréhension. -Par où commencer ? pensa-t-il. Il ne pouvait ni sentir, ni voir, ni savoir par où commencer... Il se tourna vers le Sage et dit -Ma famille a disparu. -C'est bien, dit le Sage. -C'est bien ? Pourquoi est-ce bien ? demanda l'empereur. -Parce qu'ils faisaient partie d'une époque de ta vie et que, maintenant, tu en vis une autre. Que penses-tu de ton grand-père ? interrogea le Sage. -Il était excellent, dit l'empereur. -As-tu du chagrin qu'il ne soit plus là ? -Non, dit l'empereur. -Pourquoi ? Et l'empereur commença à comprendre. -La peur, dit le Sage, la tristesse et l'émotion font partie de l'évolution de l'homme. C'est une évolution que tu dois traverser, mais tant que tu es la proie des émotions,

tu ne peux pas utiliser ce que tu es. Les sages, ceux qui savent comment aider les gens à se voir eux-mêmes, ne se laissent pas impliquer par ce qui a été. Ils ne sont concernés que par l'instant présent. Ils peuvent voir l'avenir et le passé mais ne se laissent entraîner ni par l'un ni par l'autre. A peine avait-il terminé de prononcer ces paroles que le Sage, en un clin d'œil, disparut.

L'empereur se mit à marcher, tournant en rond ; il avait peur. Que faire ? Il quitta le jardin, traversa le palais et gagna la ville de Lo-Yang. Il commença à tirer des cadavres de dessous les décombres, à les rassembler, à essayer de les identifier et bientôt un vieil homme se mit à l'aider. Un enfant infirme vint aussi travailler avec eux. Peu à peu une petite bande se forma, circulant dans les ruines de Lo-Yang, entassant les corps, cherchant à les identifier puis les brûlant. Une vieille femme les rejoignit, puis un robuste soldat désorienté par la perte de sa famille et qui avait besoin de faire

quelque chose. Ils trouvèrent une mère aimante pour soigner les grands blessés et travaillèrent vaillamment jour après jour. Bientôt d'autres groupes se formèrent ; peu à peu, ils assainirent la ville...

Les jours devinrent des semaines et ils ne faiblissaient pas. Deux à trois cent personnes, pleines de force et de courage, commençaient à rétablir une vibration en ce lieu. Un jour un soldat reconnut l'empereur et l'annonça à tous. Ce fut l'espoir ; les gens eurent le sentiment que tout était possible puisque l'empereur était là, mangeant ce qu'ils mangeaient, vivant avec eux.

Deux semaines plus tard ils entendirent du bruit sur la colline et aperçurent une grande armée qui s'approchait. L'empereur s'avança lentement à sa rencontre ; sa figure était sale, ses habits déchirés ; derrière lui marchait la petite bande des rescapés de Lo-Yang. Le général en chef de l'armée descendit de cheval et s'adressa à l'empereur : -Que s'est-il passé ici ? Nous n'avons plus eu de nouvelles de Lo-Yang depuis longtemps et nous pensions que la ville avait été la proie des envahisseurs. Nous avons senti la terre trembler mais ne savions pas au juste où cela s'était produit. Le général regarda la

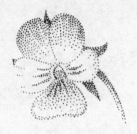

ville et le palais détruit. Il demanda à ce vieil
homme qui se trouvait devant lui : -Es-tu leur chef?
L'empereur sourit et répondit : -Non, nous travail-
lons tous ensemble ! Derrière lui quelqu'un se dres-
sa et dit au général : -Cet homme est ton empereur !
Le général observa attentivement le vieil homme et
reconnut la cicatrice au-dessus de l'œil qu'il lui
avait faite lui-même alors qu'il était enfant et se
battait avec le jeune empereur. Il tomba à genoux ;
mais l'empereur lui dit : -Relève-toi, enlève ton ar-
mure, viens avec ton armée, aidez-nous à reconstruire Lo-Yang. Ils entrèrent dans la ville et l'empereur leur apprit à utiliser tous les instruments dis-
ponibles. Il faisait face à chaque situation en em-
ployant les éléments qui étaient à sa disposition.
Si un problème se présentait, si quelqu'un lui disait : «Nous ne pouvons pas faire cela !», l'empereur ne ressentait aucune panique ; il disait : -Al-
lons voir. Et en chemin l'idée venait, une pensée se
formait, en sorte qu'au moment où il arrivait sur

place, il avait trouvé en lui la réponse au problème.

Les mois passèrent ; Lo-Yang reprenait vie, l'empereur habitait une petite maison dans son jardin. Il avait pris tout le marbre et le granit de l'ancien palais pour reconstruire la ville. Ainsi un commerçant avait sa maison bâtie avec le marbre de la chambre à coucher impériale, un teinturier travaillait dans une pièce faite avec les pierres de la grande salle du palais et un invalide avait le trône pour siège. L'empereur, debout au milieu de son jardin, regardait Lo-Yang. Ce n'était pas très impressionnant, mais la vie était présente et il sentit qu'il avait bien rempli chaque instant. Il commença à se poser des questions : -Que se serait-il passé si j'avais été tué ? Qui aurait fait tout cela ? A cet instant il se sentit poussé par derrière et tomba dans l'eau de la rivière. Il se retourna en souriant et vit le vieux Sage. -Tu penses de nouveau, empereur ! Ce n'est pas en pensant que tu comprendras d'où tu viens ni où tu vas. Penser est un instrument, c'est comme apprendre à marcher, comme goûter ton premier repas ; c'est seulement un instrument, un premier pas, un premier goût. Sache que c'est un pas important, que tu dois apprendre à penser... et que tu dois aussi savoir cesser de penser car tu n'aideras pas ton peuple ni te comprendras toi-même par des élucubrations ! L'empereur sourit au vieux Sage : -Ai-je bien fait ce que j'étais censé faire ? demanda-t-il. -Qu'as-tu fait ? répondit le vieux Sage ; l'empereur lui dit : -Regarde Lo-Yang, la ville revit, j'ai donné toutes les pierres de mon palais pour la reconstruire. -N'était-ce pas ce que tu avais à faire ? dit le Sage. L'empereur répondit : -Était-ce bien cela que j'étais censé faire ? -L'as-tu fait, oui ou non ? dit le Sage. -Oui, dit l'empereur. -C'est donc ce que tu avais à faire, ce qui faisait partie de ton être véritable. Pourquoi me poses-tu cette question ? L'empereur répondit : -Parce que je me sens seul. -Tu te sens seul... -Pourquoi ? -J'aurais besoin de quelqu'un avec qui parler, dit l'empereur. -Parle aux gens qui

t'aident ! dit le Sage. -Mais ils ont peur de moi, dit
l'empereur. -Pourquoi ? Parce que tu te retires dans
ce jardin ? Parce que tu es empereur ? -Je ne sais
pas, dit l'empereur. Allons donc à Lo-Yang, dit le
Sage. Ils sortirent du jardin, entrèrent dans les rues
de la ville. Le soldat qui avait aidé l'empereur les
accueillit aimablement, le teinturier aussi, tous sou-
riaient à l'empereur et au Sage, les saluant cordiale-
ment. L'empereur aperçut l'enfant qu'il avait voulu
faire sortir des ruines et celui-ci lui adressa un sourire joyeux. En marchant dans les rues de Lo-Yang,

il pouvait percevoir la chaleur des gens tout autour de lui et il se sentait bien. Le Sage lui dit : -Ils n'ont pas peur de toi, ils te respectent. Il y a une différence subtile entre la peur et le respect. Ces gens te respectent pour ce qu'ils es ; auparavant ils avaient peur de toi mais maintenant ils te respectent. Utilise ce respect ; ne te retire pas dans ton jardin, ta montagne, ton monastère ou un lieu caché où ils ne peuvent te voir. Le respect est la marque de la plus grande évolution qui soit pour un être ; il est dû au fait que l'individu sait qui il est.

L'empereur se tourna vers le Sage et lui dit :
-J'aimerais que tu sois là avec moi, tout le temps,
tu me donnes confiance et paix. Le Sage sourit :
-Ces gens qui t'entourent ont, avec toi, la même
impression ! -Comment, dit l'empereur, ils ont la
même impression avec moi que moi avec toi ? -Oui,
dit le Sage. L'empereur s'exclama : -Je n'avais jamais pensé à ça ! -Pourquoi pas ? dit le Sage. -Parce
que je suis seulement empereur, alors que toi tu es
Sage ! -Ce n'est qu'une terminologie, dit le Sage. Ce
que tu es, utilise-le !

Le Sage poursuivit son chemin tandis que
l'empereur restait au milieu de la rue, le regardant
s'éloigner. Il ne se retourna pas, ne regarda pas en
arrière. Il savait ce qu'il était, qui il était, que d'autres aussi avaient besoin de découvrir cette confiance en eux-mêmes qu'il avait permis à l'empereur de trouver, de sentir cette lumière, d'avoir
quelqu'un à regarder non avec peur, mais avec respect. Car le respect permet l'évolution. Il permet

d'évoluer vers la connaissance sans avoir besoin de mots, il permet de prendre conscience de soi-même.

Un petit garçon s'approcha de l'empereur qui regardait le Sage s'éloigner, le toucha par la manche et lui dit : -Empereur ! L'empereur se tourna vers lui : -Que veux-tu ? -Empereur, dis-moi... d'où est-ce que je viens ?...

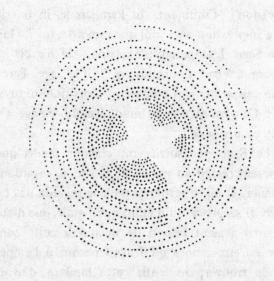

TECHNIQUES DE VISUALISATION CRÉATRICE

Shakti Gawain

Votre imagination vous permet de créer une image précise de ce que vous désirez, puis de soutenir cette image par l'énergie positive de votre attention jusqu'à ce qu'elle devienne une réalité objective. Utilisez cette puissance pour créer ce que vous désirez : amour, joie, relations satisfaisantes, travail gratifiant, santé, beauté, prospérité...Vous pourrez choisir ce que vous voulez vivre au lieu de subir des situations où vous dépendez d'autrui ou de vos conditionnements. La visualisation créatrice vous ouvre les portes de l'abondance naturelle de la vie.

192 pages

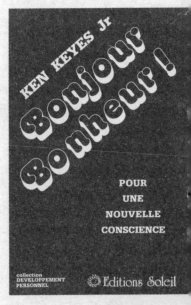

NOUVEAU

BONJOUR BONHEUR !
Ken Keyes, Jr

Ken Keyes anime aux Etats-Unis des séminaires qui permettent à des milliers de gens de transformer leur vie en découvrant la science du bonheur ; il est l'auteur de plusieurs bestsellers **(2,5 millions de livres vendus à ce jour).**

Grâce à sa profonde connaissance de l'être humain, Ken Keyes montre les étapes à suivre pour remplacer les habitudes par la liberté, la haine par l'amour et l'ignorance par la sagesse.

Avec les douze leçons de ce livre, apprenez à cesser de programmer votre malheur et celui de vos proches. Créez un monde dans lequel le bonheur fleurit à chaque pas !
304 pages

CASSETTES

Ces cassettes vous permettront de pratiquer la visualisation créatrice.

LA PENSÉE POSITIVE (S-009).
Deux cassettes de 60 min.

La pensée positive est un instrument exceptionnel pour se transformer, dépasser ses limitations et mettre en œuvre de nouveaux programmes de pensée. L'usage de cette cassette vous donne un exemple précis d'application des techniques de la visualisation créatrice.

Exercices de relaxation et de voyage intérieur.

LA GROTTE DE CRISTAL (S-027-R)
Le voyage commence par un exercice de détente physique profonde, puis vous êtes invités à visualiser un alpage en écoutant les sons graves du cor des Alpes. Ensuite, vous pénétrez dans la montagne...

LES GRENOUILLES (S-028-R)
C'est la nuit. Vous entendez au loin chanter des grenouilles. Vous vous approchez. Un hamac vous attend et vous vous y endormez. Votre conscience reste éveillée et part explorer l'univers des étoiles.

A TRAVERS L'EAU, LA TERRE ET LE SOLEIL (S-020-R)
Explorez les ressources puissantes d'une harmonisation avec les éléments de la nature tout en faisant l'expérience de niveaux de conscience profonds.

Cours du Docteur
Christian SCHALLER

LA PENSÉE
POSITIVE

CASSETTES SOLEIL

VIENT DE PARAITRE

LA VISUALISATION CREATRICE
en cassette !

Le complément indispensable pour pratiquer la visualisation créatrice partout et en tout temps.
Vous y trouverez les exercices du livre de
SHAKTI GAWAIN.

SUR LE CHEVAL DES REVES

Deux exercices de détente profonde et de visualisation afin de vous libérer des contraintes quotidiennes et de vous permettre une régénération totale, physique et psychique.

PRATIQUE DE LA
VISUALISATION
CREATRICE

NOUVEAU

CASSETTES SOLEIL

AIMER C'EST SE LIBÉRER DE LA PEUR
Dr Gerald Jampolsky

Il n'y a que deux émotions : l'amour et la peur. La première est notre héritage naturel, l'autre, une création de notre esprit. Apprendre à se délivrer de la peur permet de trouver l'amour et l'harmonie.

Ce livre est un guide pratique. Ses leçons nous permettent d'appliquer chacune de ses idées-clé dans notre vie quotidienne.

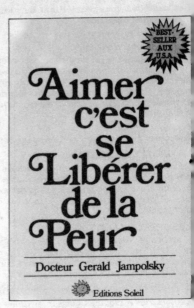

SANS PEUR ET SANS REPROCHES
Dr Gerald Jampolsky

Les reproches : nous en adressons sans cesse aux autres et à nous-mêmes, parce que le passé ne s'est pas déroulé conformément à nos souhaits.

La peur : elle ne nous quitte pas. Nous redoutons d'avoir à subir les mêmes déceptions dans un futur qui ne répondra pas davantage à nos attentes. La peur et les reproches compromettent nos relations avec les autres, notre paix intérieure et, de proche en proche, la paix du monde.

Dès l'instant où, par la correction de nos perceptions erronées, nous réussissons à vivre "sans peur et sans reproches", nous entrons dans la joie du présent, nous guérissons nos relations et nous trouvons la paix.

Gerald Jampolsky est très connu aux Etats-Unis. Ses livres apportent une grande contribution aux recherches psychologiques et spirituelles de notre époque.

Achevé d'imprimer en juin 1988.

Imprimerie Wolunta - Annemasse (France)

Dépôt légal : juin 1988